Arthur Chapter Book 1~5

Picture Dictionary

롱테일북스 편집부 지음

단어 암기, 이미지와 함께하면 더욱 쉬워집니다!

본 책에는 아서 챕터북 1~5권에 나오는 215개의 중요 어휘들을 모았습니다. 영어 단어와 함께 제시되는 그림을 통해 더욱 재미있고 확실하게 단어를 암기할 수 있습니다. 또한 원서의 문장을 예문으로 제시하여 리딩한 내용을 자연스럽게 복습할 수 있도록 구성하였습니다.

아서 챕터북을 EBS 강의와 함께 읽어보세요!

EBS 리딩 분야 대표 강사 이수영 선생님과 함께하는
국내 유일의 원서 읽기 강의
이미 수많은 학생들이 그 효과를 입증했습니다!

★ 발음이 비교할 수 없을 정도로 좋아졌어요! | 조*희님
★ 외국인 앞에서 헬로우도 못하던 제가 영어로 설명을 해주고 있습니다! | 이*경님
★ 강의 듣고 나서 듣기 평가 100점 맞았어요! | 오*은님

지금 확인하세요! www.EBSreading.com

Aa

arcade

[aːrkéid] n. 오락실, 게임 센터

[Book 5] "I'll find a mystery at the *arcade*."

"나는 오락실에서 미스터리를 찾을 거야."

audience**

[ɔ́ːdiəns] n. 청중, 관객

[Book 4] He knew the *audience* was there, even if he couldn't see them.

그는 비록 청중을 볼 수는 없었지만 그들이 거기에 있다는 것을 알았다.

B b

backstop

[bǽkstɑ̀p] n. (야구장 등의) 그물망

[Book 3] The ball sailed high over everything—
her father, Binky, even the *backstop*.

공은 모든 것—그녀의 아빠, 빙키, 심지어 그물망 위로 날아갔다.

balance**

[bǽləns] v. 균형 잡다; n. 균형

[Book 2] He was trying to *balance* on a rope
above an inflatable wading pool.

그는 공기를 넣은 물놀이 풀장 위에 있는 밧줄에서 균형을
잡으려고 하고 있었다.

bald*

[bɔːld] a. (머리 등이) 벗겨진, 대머리의

[Book 2] Mr. Read adjusted his *bald* wig.

리드 씨는 그의 대머리 가발을 고쳐 썼다.

barber*

[bɑ́ːrbər] n. 이발사

[Book 4] Bob the *barber* was cutting Miss
Tingley's hair.

이발사 밥은 팅글리 씨의 머리를 자르고 있었다.

base***

[beis] n. [야구] -루, 베이스

[Book 3] "You circle the *bases* to the cheers of the crowd."

"너는 베이스를 돌아서 환호하는 관중에게 가지."

---

batter

[bǽtər] n. [요리] 반죽

[Book 5] "When I got there, the floor was covered with brownie *batter*."

"내가 거기에 도착했을 때, 바닥은 브라우니 반죽으로 덮여 있었지."

---

bill**

[bil] n. 청구서, 계산서

[Book 1] She put a *bill* aside for later.

그녀는 나중을 위해 청구서를 옆으로 치워 두었다.

---

bleacher

[blíːtʃər] n. (지붕 없는) 야외 관람석

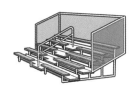

[Book 3] Coach Frensky glanced at the *bleachers*.

프렌스키 코치님은 야외 관람석을 힐끗 쳐다보았다.

---

blender

[bléndər] n. 믹서

[Book 3] "We had to make salad dressing in a *blender*."

"우리는 믹서로 샐러드 소스를 만들어야 했단다."

---

blindfold

[bláindfòuld] v. (눈가리개로) 눈을 가리다

[Book 1] "I could get there *blindfolded* with one hand tied behind my back."

"나는 눈을 가리고 한 팔이 등 뒤로 묶인 채로도 거기에 갈 수 있어."

board***

[bɔːrd] v. 승차하다, 탑승하다

[Book 5] "Please *board* the school bus now."

"이제 학교 버스에 탑승하세요."

booth*

[buːθ] n. (식당의) 칸막이된 자리

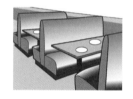

[Book 1] They were sitting in a *booth* at the Sugar Bowl.

그들은 슈가 볼의 칸막이 자리에 앉아 있었다.

bow*

[bau] n. (고개 숙여 하는) 인사, 절

[Book 2] Her father took a *bow*.

그녀의 아빠는 고개 숙여 인사를 했다.

brim*

[brim] n. (모자의) 챙

[Book 5] Buster pushed back the *brim* of his hat.

버스터는 모자의 챙을 뒤로 밀었다.

broom*

[bru:m] n. 빗자루

[Book 2] He started balancing the *broom* on his nose.

그는 빗자루를 코 위에 올려 균형을 잡기 시작했다.

bucket**

[bʌ́kit] n. 양동이

[Book 5] He gathered up his *bucket* and mop and started to walk away.

그는 그의 양동이와 대걸레를 모아 걸어가기 시작했다.

bulge

[bʌldʒ] v. 툭 튀어 나오다

[Book 4] Arthur's eyes *bulged*.

아서의 눈이 툭 튀어 나왔다.

bulldoze

[búldòuz] v. 불도저로 밀다

[Book 1] "It could end up in the trash. Or a shredder. Then *bulldozed* into a landfill."

"이건 쓰레기통으로 버려질 수도 있어. 분쇄기로 갈 수도 있고. 그리고 나서 불도저에 밀려 쓰레기 매립지로 가겠지."

bulletin board

[búlətin bɔ́:rd] n. 게시판

[Book 3] A bunch of kids were huddled around the *bulletin board*, looking at the team rosters.

한 무리의 아이들이 게시판 주위에서 팀 명단을 보면서 옹기종기 서 있었다.

bump(1)*

[bʌmp] v. (~에) 부딪히다; n. (도로의) 튀어나온 부분

[Book 1] The bad news was that she stopped singing because she had *bumped* into her mother.

나쁜 소식은 그녀가 엄마와 부딪혀서 노래를 멈추었다는 것이다.

bump(2)*

[bʌmp] n. (도로의) 튀어나온 부분; v. (~에) 부딪히다

[Book 2] "We hit a few *bumps* along the way."

"우리가 가는 길에 장애물이 조금 있었지."

bundle up

idiom ~를 따뜻이 둘러싸다

[Book 4] The school yard was filled with *bundled-up* kids running around and making a lot of noise.

학교 운동장은 뛰어다니며 소음을 만들고 있는, 옷을 잔뜩 껴입은 아이들로 가득 차 있었다.

bury**

[béri] v. 묻다, 파묻다, 매장하다

[Book1] "No, I can't *bury* it in the backyard, either."

"안 돼, 난 그것을 뒷마당에 묻을 수도 없어."

Cc

cafeteria*

[kæfətíəriə] n. 셀프 서비스식 식당, 구내식당

[Book 1] The *cafeteria* at Lakewood Elementary was filled with kids eating lunch.

레이크우드 초등학교의 식당은 점심을 먹는 아이들로 가득 차 있었다.

carton*

[ka:rtn] n. (음식이나 음료를 담는) 곽, 통

[Book 1] They used a crushed milk *carton* as a puck.

그들은 찌그러진 우유갑을 퍽으로 썼다.

cavity*

[kǽvəti] n. 충치, (치아에 생긴) 구멍

[Book 4] "All you'll get from that stuff is a mouthful of *cavities*."

"네가 거기서 얻을 수 있는 모든 것은 한 입 가득한 충치뿐일 거야."

celebrate**

[séləbrèit] v. 기념하다, 축하하다

[Book 2] "All our supporters—young and old—can join us for a *celebration* at WonderWorld."

"우리의 모든 후원자들은—나이가 많고 적음에 상관없이—원더월드에서 열리는 축하 행사에 참가할 수 있어요."

chest**

[tʃest] n. 상자, 궤

[Book 4] "You put boxes in my bed, my toy *chest*, and my closet."

"오빠가 내 침대, 장난감 상자, 그리고 내 옷장에 상자들을 두었잖아."

chin**

[tʃin] n. 턱

[Book 3] Her father stroked his *chin*.

그녀의 아빠는 턱 끝을 쓰다듬었다.

clap*

[klæp] v. 박수를 치다

[Book 2] The crowd *clapped* and cheered.

군중들은 박수를 치고 환호했다.

clown*

[klaun] n. 어릿광대

[Book 2] He pulled out a *clown* costume.

그는 광대 의상을 꺼냈다.

corn-on-the-cob

n. 옥수숫대(cob)에 붙어 있는 옥수수(corn)

[Book 3] She was munching away on *corn-on-the-cob*.

그녀는 통째로 익힌 옥수수를 우적거리며 먹어 치우고 있었다.

couch *

[kautʃ] n. 소파, 긴 의자

[Book 2] Buster was sitting on his *couch*.
버스터는 소파에 앉아 있었다.

---

counter *

[káuntər] n. (부엌의) 조리대

[Book 1] Arthur put down his backpack on the *counter*.
아서는 그의 가방을 조리대 위에 내려놓았다.

---

crack **

[kræk] n. 갈라진 금

[Book 2] She continued to study the *cracks* in the sidewalk.
그녀는 여전히 인도에 난 금을 살피고 있었다.

---

cradle *

[kreidl] v. (안전하게 보호하듯이) 떠받치다, 살짝 안다

[Book 1] Arthur *cradled* his head in his arms.
아서는 그의 머리를 팔로 감쌌다.

---

crate

[kreit] n. 나무 상자, (짐을 보호하는) 나무틀

[Book 4] He motioned to his partner, who dropped a huge *crate* of boxes onto the Reads' driveway.
그는 시리얼 상자가 들어 있는 큰 짐짝을 리드 씨네 집 진입로에 내려놓은 그의 파트너에게 몸짓으로 신호를 보냈다.

---

crescent moon

[krésnt muːn] n. 초승달

[Book 1] His partly eaten hamburger sat on the edge of his plate like a *crescent moon*.

그의 반쯤 먹은 햄버거는 초승달처럼 접시의 가장자리에 놓여 있었다.

cringe

[krindʒ] v. (겁이 나서) 움츠리다, 움찔하다

[Book 1] "Arthur, what is this?" / Arthur *cringed*. "That?"

"아서, 이게 뭐니?" / 아서는 움찔했다. "그거요?"

cross***

[krɔːs] v. (서로) 교차하다, 엇갈리다

[Book 1] His hands were *crossed* in front of his face.

그의 양손은 얼굴 앞에 겹쳐져 있었다.

crouch*

[krautʃ] v. 몸을 쭈구리다, 쪼그리고 앉다

[Book 3] Buster *crouched* down in a batting stance.

버스터는 몸을 낮춰 타격 자세를 취했다.

cruiser

[krúːzər] n. 순찰차

[Book 4] A police officer's *cruiser* was out on the street. The lights were flashing.

경찰관의 순찰차가 길에 있었다. 경광등이 번쩍이고 있었다.

crumb

[krʌm] n. 빵 부스러기, 빵가루

[Book 5] I brushed a few *crumbs* off my shirt.
나는 내 셔츠에 붙은 부스러기들을 털어냈다.

crush**

[krʌʃ] v. 잔뜩 구겨지다, 으스러뜨리다

[Book 1] "No," said Binky, *crushing* another carton with his fist.
"아니." 주먹으로 다른 우유갑을 찌그러뜨리며 빙키가 말했다.

Dd

dash*

[dæʃ] v. 돌진하다, 서둘러 가다

[Book 2] He swallowed another bite and *dashed* for the door.

그는 다른 한 입을 삼키고 문을 향해 달려갔다.

detective*

[ditéktiv] n. 탐정, 형사

[Book 2] Muffy hated it when her mother sounded like a *detective*.

머피는 그녀의 엄마가 탐정처럼 얘기할 때가 싫었다.

dial phone

[dáiəl foun] n. 다이얼 전화기

[Book 1] Mrs. Read picked up the phone and *dialed* a number.

리드 부인은 전화기를 들고 번호를 눌렀다.

diaper

[dáiəpər] n. 기저귀

[Book 1] "Babies only have to look cute and fill their *diapers*."

"아기들은 단지 귀여워 보이고 기저귀를 가득 채우기만 하면 돼."

dig★★

[dig] v. 파다, 파헤치다

[Book 5] The more he _dug_, the more complicated the case became.

그가 파헤치면 파헤칠수록, 사건은 더욱 복잡해졌다.

document★★

[dákjumənt] n. 서류, 문서

[Book 1] "Tax _documents_. I'm doing his tax return."

"세금 서류야. 내가 그의 세금 정산을 한단다."

dodge★

[dadʒ] v. (재빨리) 피하다, 날쌔게 비키다

[Book 5] He _dodges_ the bright lights of the television cameras.

그는 텔레비전 카메라의 밝은 빛을 이리저리 피한다.

drag★

[dræg] v. (무거운 것을) 끌다, 끌어당기다

[Book 1] Arthur _dragged_ the envelope along the floor to the bathroom.

아서는 바닥을 따라 봉투를 끌어 화장실로 갔다.

drain★

[drein] n. 배수관

[Book 3] Buster looked down the _drain_.

버스터는 배수관을 내려다보았다.

driveway

[dráivwèi] n. (도로에서 집·차고까지의) 진입로

[Book 1] Her car was in the _driveway_.
그녀의 차가 차고 진입로에 있었다.

dugout

[dʌ́gaut] n. (축구장·야구장의) 선수 대기석

[Book 3] Buster trudged back to the _dugout_ as the other team ran off the field, cheering in victory.
다른 팀이 경기장에서 달려 나오며 승리의 환호성을 지를 때, 버스터는 터덜터덜 선수 대기석으로 걸어왔다.

dump*

[dʌmp] v. 쏟아 넣다; n. 쓰레기 더미

[Book 4] Arthur _dumped_ some cereal in her bowl.
아서는 그녀의 그릇 안에 시리얼을 부었다.

dungeon

[dʌ́ndʒən] n. 지하 감옥

[Book 1] He saw himself chained to the wall of a dark _dungeon_.
그는 어두운 지하 감옥의 벽에 사슬로 묶여 있는 자신을 보았다.

Ee

entry form

[éntri fɔːrm] n. 참가 신청서

[Book 4] "I got the *entry form*. I've eaten fifteen boxes of Crunch, and this is my jingle."

"내가 참가 신청서를 가졌어. 내가 크런치를 15상자 먹었고, 이건 나의 로고송이야."

equipment**

[ikwípmənt] n. 장비, 설비

[Book 3] "I was sick the first week and missed the class where the teacher explained how all the *equipment* worked."

"난 첫 주에 아파서 선생님이 모든 기구가 작동하는 법을 알려주는 수업을 놓쳤단다."

F f

feed**

[fiːd] v. 먹이다; 먹을 것을 먹다

[Book 4] "Are we expected to _feed_ everyone?"

"우리가 모두를 먹여야 하니?"

fist*

[fist] n. (쥔) 주먹

[Book 1] "No," said Binky, crushing another carton with his _fist_.

"아니." 주먹으로 다른 우유갑을 찌그러뜨리며 빙키가 말했다.

flap*

[flæp] v. 퍼덕거리다;

n. (봉투·호주머니 위에 달린 것 같은 납작한) 덮개

[Book 1] The envelope was _flapping_ in his arms.

봉투가 그의 팔에서 퍼덕거렸다.

flexible**

[fléksəbl] a. 융통성 있는; 잘 구부러지는, 유연한

[Book 4] "Oh, well, we'll be famous, then. I can be _flexible_."

"오, 그래, 그럼 우린 유명해질 거야. 난 융통성 있어."

flip(1)*

[flip] v. 홱 뒤집다; 톡 던지다

[Book 1] Francine dodged left and *flipped* the carton past Arthur's hand.
프랜신이 왼쪽으로 몸을 홱 움직이며 우유갑을 아서의 손 너머로 튕겨 보냈다.

flip(2)*

[flip] v. 톡 던지다; 홱 뒤집다

[Book 5] He reached into his pocket and *flipped* a quarter into the bowl.
그는 주머니에 손을 넣고 25센트 동전을 꺼내 통 안으로 튕겨 넣었다.

flip through

idiom 책장을 휙휙 넘기다

[Book 1] She *flipped through* a magazine.
그녀는 잡지를 넘겨봤다.

flow chart

[flóu tʃà:rt] n. 흐름도, 일람표

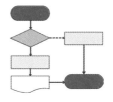

[Book 2] He had covered a blackboard with *flow charts*, equations, and names of books.
그는 칠판을 흐름도와 방정식 그리고 책들의 이름으로 채워 둔 상태였다.

fold arms

idiom 팔짱을 끼다, 포개다

[Book 1] Binky *folded* his *arms*.
빙키는 팔짱을 꼈다.

fold fingers

idiom 손가락을 끼다, 깍지를 끼다

[Book 3] Francine *folded* her *fingers* together.
프랜신은 손가락 깍지를 꼈다.

---

fountain*

[fáuntən] n. 분수

[Book 2] He did spot an old woman tending some plants near a *fountain*.
그는 분수 주위의 식물들을 다듬고 있는 한 부인을 보았다.

---

frown*

[fraun] v. 얼굴을 찌푸리다

[Book 1] Arthur *frowned*.
아서는 얼굴을 찌푸렸다.

---

fuel*

[fju:əl] n. 연료

[Book 5] "The robots need the metal for *fuel*."
"그 로봇들은 연료로 금속이 필요해."

Gg

garage*
[ɡərá:dʒ] n. 차고, 주차장

[Book 1] "Are you moving into the *garage?*"
"오빠 차고로 이사 가는 거야?"

---

gasp*
[ɡæsp] v. 숨이 턱 막히다, 헉 하고 숨을 쉬다

[Book 1] D.W. *gasped*.
D.W.는 숨이 턱 막혔다.

---

glance*
[ɡlæns] v. 흘깃 보다, 잠깐 보다

[Book 1] She *glanced* at Arthur.
그녀는 아서를 힐끔 보았다.

---

goalpost
[ɡóulpòust] n. 골대

[Book 3] Balls had passed through his legs so often, they felt like *goalposts*.
공들은 다리 사이로 자주 지나갔었고, 다리는 마치 골대인 것처럼 느껴졌다.

goop

[guːp] n. 끈적끈적 들러붙는 것

[Book 3] "The teacher was covered in *goop*."

"선생님은 끈적거리는 소스를 뒤집어쓰고 있었지."

grab*

[græb] v. 부여잡다, 움켜쥐다

[Book 1] Francine *grabbed* the envelope.

프랜신은 봉투를 움켜쥐었다.

grain**

[grein] n. 곡물, 낟알

[Book 2] "There's whole-*grain* goodness in every bite."

"한 입마다 통밀의 영양이 담겨 있습니다!"

grin**

[grin] v. (이를 드러내고) 싱긋 웃다, 활짝 웃다

[Book 3] "Not exactly," said her father, *grinning* broadly.

"꼭 그런 것은 아니야." 그녀의 아빠가 활짝 웃으며 말했다.

gutter

[gʌ́tər] n. (지붕의) 홈통, 물받이

[Book 3] The ball rolled down the roof and into the *gutter*.

공은 지붕 아래로 굴러 홈통으로 들어갔다.

Hh

hallway

[hɔ́ːlwèi] n. 복도, 통로

[Book 5] Arthur was standing in the school *hallway* behind a long table.

아서는 학교 복도에 있는 긴 테이블 뒤에 서 있었다.

hang up

idiom 전화를 끊다, 수화기를 놓다

[Book 1] She *hung up* the phone and dropped the envelope on the edge of the counter.

그녀는 전화를 끊고 봉투를 조리대 가장자리에 놓았다.

huff and puff

idiom (몹시 지쳐서) 헉헉거리다

[Book 1] "That's not my fault," said the envelope, *huffing and puffing*.

"그건 내 잘못이 아니야." 봉투가 숨을 헐떡이며 말했다.

hunch

[hʌntʃ] v. (등을) 구부리다

[Book 4] He sat in his living room *hunched* over the piano.

그는 거실에 있는 피아노 앞에 등을 구부리고 앉아 있었다.

hush *

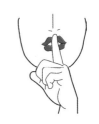

[hʌʃ] int. 쉿, 조용히 해

[Book 1] *"Hush*, Arthur!" said his mother.

"조용히 하렴, 아서!" 엄마가 말했다.

Ii

inflatable pool

[infléitəbl puːl] n. 공기로 부풀리는 수영장

[Book 2] He was tring to balance on a rope above an *inflatable* wading *pool*.

그는 공기를 넣은 물놀이 풀장 위에 있는 밧줄에서 균형을 잡으려고 하고 있었다.

instrument**

[ínstrəmənt] n. 악기; 기구, 도구

[Book 4] "Besides, you don't even play an *instrument*."

"게다가, 넌 악기를 연주하지도 않잖아."

Jj

janitor

[dʒǽnitər] n. 수위, 관리인

[Book 5] He could tell that Mr. Morris, the *janitor*, had cleaned the floors since lunch.

그는 수위 아저씨 모리스 씨가 점심시간 이후에 바닥을
치워두었다는 것을 알았다.

K k

key**

[ki:] ① n. (피아노) 건반 ② n. 열쇠

[Book 4] His head fell forward on the *keys*, causing a jumble of chords to fill the air.

그의 머리가 건반 위로 떨어지며, 뒤죽박죽 섞인 화음이 공기를 채우게 했다.

kit*

[kit] n. (특정 활동용 도구·장비) 세트
(detective kit n. 탐정 활동 세트)

[Book 5] "It's a fedora—part of my new detective *kit*."

"이건 페도라야—내 새로운 탐정 세트의 일부지."

knob*

[nab] n. 손잡이

[Book 5] He put in his quarters and pulled the *knob*.

그는 그의 25센트 동전을 넣고 손잡이를 당겼다.

Ll

laundry*

[lɔ́:ndri] n. 세탁물

[Book 1] "Maybe you could hide it in the *laundry* basket—and it could get washed."

"아마 너는 그걸 세탁 바구니에 숨길 수 있을 거야. 그리고 그게 씻겨나가는 거지."

lean**

[li:n] v. (몸을) 기대다, 기울다

[Book 1] He *leaned* on the table.

그는 테이블에 기댔다.

leap*

[li:p] v. 껑충 뛰다; 뛰어넘다

[Book 3] He *leaped* at what he thought was the right moment.

그는 그가 적절한 순간이라고 생각했을 때 뛰어올랐다.

lick*

[lik] v. 핥다

[Book 2] Arthur *licked* the drips around his cone.

아서는 콘 주위에서 떨어지는 아이스크림을 핥았다.

lid*

[lid] n. 뚜껑

[Book 3] "Everyone else knew that the _lid_ needed to be locked a certain way."

"다른 사람들은 뚜껑이 특정한 방법으로 잠겨야 한다는 것을 알았어."

lightbulb

[láitbʌlb] n. 백열전구

[Book 5] "Changing a _lightbulb_. Then I got the call to go to the kitchen."

"전등을 갈아 끼웠어. 그리고 부엌에 와 달라는 전화를 받았지."

lightning*

[láitniŋ] n. 번개, 번갯불

[Book 4] Why couldn't inspiration hit him like a flash of _lightning_?

왜 영감이 번쩍하는 번개처럼 그에게 내리지 않는 것일까?

lock**

[lak] v. 잠그다

[Book 3] "Everyone else knew that the lid needed to be _locked_ a certain way."

"다른 사람들은 뚜껑이 특정한 방법으로 잠겨야 한다는 것을 알았어."

loudspeaker

[láudspiːkər] n. 확성기

[Book 1] Miss Tingley, the school secretary, was speaking over the _loudspeaker_.

학교 비서인 팅글리 씨가 스피커를 통해 말하고 있었다.

Mm

magnifying glass

[mǽgnəfàiŋ glæs] n. 확대경, 돋보기

[Book 5] "What are you doing with that *magnifying glass*?"

"너 그 확대경 가지고 뭐하니?"

mailbox*

[méilbàks] n. 우편함, 우체통

[Book 4] He had arrived at the *mailbox*.

그는 우체통에 도착했었다.

mash

[mæʃ] v. (음식을 부드럽게) 으깨다

[Book 1] He forked up some *mashed* puffs and beans and filled his mouth.

그는 으깬 감자튀김과 콩을 포크로 들어 입을 채웠다.

mate*

[meit] n. 동료, 친구

[Book 3] "And not just your *teammates*. The other team is watching, too."

"그리고 단지 너의 팀원들뿐만 아니야. 상대팀도 보고 있어."

melt**

[melt] v. 녹다, 녹이다

[Book 4] *Melting* snow was dripping off his coat.

녹고 있는 눈이 그의 코트에서 졸졸 떨어지고 있었다.

mitt

[mit] n. 야구 글러브

[Book 3] Arthur stood in front of his bedroom mirror, tossing a ball up and down in his *mitt*.

아서는 그의 침실 거울 앞에 서서, 공을 위아래로 던지며 글러브로 받았다.

moat

[mout] n. 호, 해자(성 주위에 둘러 판 못)

[Book 1] Usually he piled the potato puffs into a castle wall and then lined up the green beans like alligators in the *moat*.

보통 그는 감자튀김을 성벽처럼 쌓고, 초록깍지콩을 성 주위의 연못에 있는 악어처럼 늘어놓았다.

mop

[map] v. 대걸레로 닦다; n. 대걸레

[Book 5] "He came in to *mop* up the mess."

"그가 그 난장판을 닦으려고 왔었지."

mound*

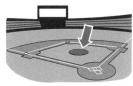

[maund] n. (야구) 마운드

[Book 3] He began scraping the *mound* with his sneaker.

그는 마운드를 운동화로 긁기 시작했다.

mountain pass

[máuntən pæs] n. 산길, 등산로

[Book 4] It was the only way over the _mountain pass_.

그것이 산길로 가는 유일한 방법이었다.

munch

[mʌntʃ] v. 우적우적 먹다

[Book 3] She was _munching_ away on corn-on-the-cob.

그녀는 통째로 익힌 옥수수를 우적거리며 먹어 치우고 있었다.

Nn

nod★★

[nad] v. (고개를) 끄덕이다

[Book 1] Everyone else *nodded*.

모두들 고개를 끄덕였다.

note★★★

[nout] n. 음, 음표; 편지, 쪽지

[Book 4] Arthur was trying out *notes* at the piano.

아서는 음을 피아노로 치고 있었다.

Oo

off the hook

idiom 궁지를 벗어나다

[Book 1] "You got *off the hook* again? I can't believe it."

"또 곤경에서 벗어났어? 믿을 수가 없네."

overflow*

[òuvərflóu] v. 넘치다, 넘쳐 흐르다

[Book 5] "My mixer jammed a few times, and the brownie mix *overflowed* onto the floor."

"내 반죽기가 몇 번 고장 나서, 브라우니 반죽이 바닥으로 넘쳤어."

Pp

pace*

[peis] v. 서성거리다

[Book 3] Coach Frensky _paced_ back and forth in front of his bench.

프렌스키 코치님은 벤치 앞에서 앞뒤로 왔다 갔다 했다.

package**

[pǽkidʒ] n. 소포, 포장물

[Book 4] Arthur went into the house to get the _package_ ready.

아서는 우편물을 준비하려고 집 안으로 들어갔다.

pad*

[pæd] n. 메모지의 묶음

[Book 4] She put away her _pad_.

그녀는 노트를 치웠다.

pantry

[pǽntri] n. 식료품 저장실

[Book 1] Arthur fetched the dog food from the _pantry_.

아서는 식료품 창고에서 개 사료를 가져왔다.

pat*

[pæt] v. 톡톡 가볍게 치다

[Book 3] She _patted_ Buster on the shoulder.

그녀는 버스터의 어깨를 토닥였다.

paw*

[pɔː] n. (동물·갈고리 발톱이 있는) 발

[Book 2] He was holding up a sign that said,
KEEP YOUR _PAWS_ OFF OUR BOOKS!

그는 '우리 책에서 PAWS(손을) 떼!'라고 적힌 피켓을 들고 있었다.

perch*

[pɜːrtʃ] v. (높은 곳에) 놓다, 앉히다

[Book 2] Her glasses were _perched_ low on
her nose.

그녀의 안경은 코 아랫부분에 걸쳐 있었다.

pile**

[pail] v. 쌓다, 포개다; n. 쌓아 올린 것

[Book 1] Usually he _piled_ the potato puffs into a
castle wall.

보통 그는 감자튀김을 성벽처럼 쌓았다.

pillow*

[pílou] n. 베개

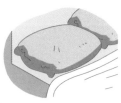

[Book 1] As Arthur got ready for bed,
he found himself looking at his _pillow_.

아서가 잠잘 준비가 되었을 때, 베개를 바라보고 있는 자신을 발견했다.

pitcher*

[pítʃər] ① n. 물 주전자 ② n. 투수

[Book 3] Coach Frensky arrived at the table with two *pitchers* of soda.

프렌스키 코치님이 탄산음료 두 병을 들고 테이블로 왔다.

plank*

[plæŋk] n. 널, 두꺼운 판자

[Book 4] It was strung with rope and wooden *planks*.

그것은 밧줄과 나무판자로 매어 있었다.

platter

[plǽtər] n. (타원형의 얕은) 큰 접시

[Book 2] He caught the falling waffles on the *platter* and brought it toward the table.

그는 떨어지는 와플을 접시 위로 받으며 잡은 후, 그것을 테이블로 가져왔다.

playpen

[pléipèn] n. (울타리로 둘러싸인) 어린이 놀이터

[Book 1] Their baby sister was watching from her *playpen*.

그들의 아기 여동생이 아기용 놀이 울타리 안에서 바라보고 있었다.

plop

[plap] n. 퐁당 (하는 소리)

[Book 3] The ball was coming down fast. *Plop*. Arthur had caught it.

공은 빠르게 아래로 떨어졌다. 터억. 아서가 잡았다.

pluck*

[plʌk] v. (악기의 현을) 튀기다, 켜다

[Book 4] Muffy started playing, and the Brain started *plucking* his cello.

머피가 연주하기 시작하자, 브레인이 첼로를 뜯기 시작했다.

poke*

[pouk] v. 쑥 내밀다

[Book 4] "Calm down in there," said their father, *poking* his head out from the kitchen.

"거기 진정 좀 해라." 아빠가 부엌에서 머리를 내밀며 말했다.

pond*

[pand] n. (인공으로 만든) 연못

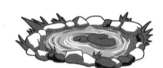

[Book 2] Buster headed for the seating area around the *pond* while Arthur set out across the fields.

아서가 들판 너머로 가는 동안 버스터는 연못 주위의 앉는 자리로 향했다.

Q q

quarter^{★★}

[kwɔ́:rtər] n. 25센트 동전; 4분의 1

[Book 5] He reached into his pocket and flipped a *quarter* into the bowl.

그는 주머니에 손을 넣고 25센트 동전을 꺼내 통 안으로 튕겨 넣었다.

Rr

ragged*

[rǽgid] a. 해어진, 갈기갈기 찢긴

[Book 5] Big clues, small clues, *ragged*-round-the-edges clues—Buster would have happily accepted any of them.

큰 단서든, 작은 단서든, 누더기 같은 단서든—버스터는 어떤 것이든 기꺼이 받아들였을 것이다.

recipe**

[résəpi] n. 조리법, 요리법

[Book 5] "Did you use a different *recipe*?"

"다른 조리법을 사용했나요?"

rib*

[rib] n. 갈비뼈, 늑골
(stick to one's ribs idiom (음식이) 영양가가 있다)

[Book 4] "On a chilly morning like this, everyone needs some oatmeal that will really stick to your *ribs*."

"오늘 같이 싸늘한 아침에는, 모두들 확실히 허기를 채워줄 오트밀을 먹어야 해."

roster

[rástə:r] n. 명단, 등록부

[Book 3] A bunch of kids were huddled around the bulletin board, looking at the team *rosters*.

한 무리의 아이들이 게시판 주위에서 팀 명단을 보면서 옹기종기 서 있었다.

rough up

idiom ~을 신경질나게 하다; 두들겨 패다

[Book 5] I wanted a return match with Alien Explorer, which had *roughed* me *up* the last time.

난 지난번에 나를 성질나게 한 외계인 탐험가의 복수전을 원했어.

rub★★

[rʌb] v. 문지르다, 비비다

[Book 1] Arthur *rubbed* his eyes.

아서는 그의 눈을 비볐다.

S s

satellite*

[sǽtilait] n. 위성, 인공위성

[Book 2] "They used a _satellite_ downfeed to get these pictures back to the studio."
"저 사람들이 인공위성을 써서 이 사진들을 스튜디오로 전송한 것 같아."

---

scale**

[skeil] n. 저울

[Book 2] She put out her hands as though she were balancing things in a _scale_.
그녀는 양손을 저울질하는 것처럼 내밀었다.

---

scoop

[sku:p] v. 뜨다, 파다

[Book 4] He _scooped_ up some snow and threw it back.
그는 눈을 조금 떠서 반대로 던졌다.

---

scratch*

[skrætʃ] v. 긁다, 할퀴다

[Book 2] The Brain _scratched_ his head.
브레인은 머리를 긁었다.

seal*

[si:l] v. (봉투 등을) 봉인하다; n. 직인

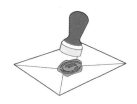

[Book 1] "What does it say? Is it *sealed*?"

"뭐라고 적혀 있니? 밀봉되어 있어?"

serve***

[səːrv] v. (음식을) 제공하다

[Book 2] "Now, if I could just have your plates, I'll be happy to *serve*—"

"이제 접시만 주면, 내가 기꺼이 음식을 떠줄—"

shadow**

[ʃǽdou] n. 그림자

[Book 2] A sinister *shadow* appeared within, slowly moving forward.

불길한 그림자가 안에서 나타나, 천천히 앞으로 움직였다.

sheet music

[ʃíːt mjúːzik] n. 한 곡 단위로 인쇄한 악보

[Book 4] He passed out some *sheet music*.

그는 악보를 나누어 주었다.

sheet of brownies

idiom 브라우니 한 판

[Book 5] She was just getting ready to cut the *sheet of brownies* into squares when Buster rushed in.

그녀가 브라우니 한 판을 사각형으로 자를 준비를 하고 있을 때 버스터가 서둘러 들어왔다.

shelf^{★★}

[ʃelf] n. 책꽂이

[Book 2] "All of the books in that series have been removed from our *shelves* until further notice."

"그 시리즈의 모든 책을 추후 공지가 있을 때까지 우리 서가에서 치워둘 것입니다."

---

shelter[★]

[ʃéltər] n. 대피처, 피신처

[Book 4] "We spent all that money on a bomb *shelter*."

"우리 공습 대피소에 돈을 많이 썼잖아."

---

shield[★]

[ʃiːld] v. 막다, 지키다

[Book 3] He *shielded* his eyes with his glove.

그는 글러브로 눈을 보호했다.

---

shovel[★]

[ʃʌvəl] n. 삽

[Book 5] He hesitated as D.W. passed by, carrying a *shovel*.

그는 D.W.가 삽을 들고 지나가자 주저했다.

---

shredder

[ʃrédər] n. (서류를 폐기 처리하는) 파쇄기

[Book 1] "It could end up in the trash. Or a *shredder*. Then bulldozed into a landfill."

"이건 쓰레기통으로 버려질 수도 있어. 분쇄기로 갈 수도 있고. 그리고 나서 불도저에 밀려 쓰레기 매립지로 가겠지."

shrivel

[ʃrívəl] v. 쪼글쪼글해지다

[Book 3] He reached into his pocket and produced a *shriveled* carrot.

그는 주머니에 손을 넣어 쪼글쪼글한 당근을 꺼냈다.

shrug*

[ʃrʌg] v. (어깨를) 으쓱하다

[Book 1] Arthur *shrugged*.

아서는 어깨를 으쓱했다.

shudder*

[ʃʌdər] v. (공포·추위 등으로) 몸을 떨다

[Book 1] "But you forced me into it." She *shuddered*. "What if you didn't pass Mr. Ratburn's history test?"

"하지만 네가 말하라고 강요한 거야." 그녀는 몸서리쳤다. "만약 네가 랫번 선생님의 역사 시험을 통과하지 못한 것이라면?"

sidewalk*

[sáidwɔ́ːk] n. (포장한) 보도, 인도

[Book 2] A long line snaked down the stairs and along the *sidewalk*.

긴 줄은 뱀처럼 계단 아래로 구불구불 내려와 도보로 이어져 있었다.

sigh*

[sai] v. 한숨 쉬다; n. 한숨, 탄식

[Book 1] Arthur *sighed*.

아서는 한숨을 쉬었다.

signature*

[sígnətʃəːr] n. 서명, 사인

[Book 2] "We could get *signatures* on a petition."

"우리 탄원서에 서명을 받자."

skeleton*

[skélətn] n. 해골

[Book 2] "Or *Skeletons* in the Closet," said the Brain.

"아니면 '옷장 속의 해골'편." 브레인이 말했다.

skip*

[skip] v. 깡충깡충 뛰다; 건너뛰다, 생략하다

[Book 1] She got down from the chair and *skipped* toward the hall, singing.

그녀는 의자에서 내려와 노래를 부르며 복도로 팔짝팔짝 뛰어갔다.

slit*

[slit] v. (좁고) 길게 자르다

[Book 1] She *slit* the envelope open and glanced inside.

그녀는 봉투를 잘라서 열고 안을 들여다봤다.

slump

[slʌmp] n. (어깨가) 구부러짐

[Book 5] I could tell from his mouth, the *slump* of his shoulders, even his ears. Arthur was a mess.

사실, 그의 입, 처진 어깨, 심지어 그의 귀에서도 알 수 있었어. 아서는 엉망이었어.

slurp

[slə:rp] v. (무엇을 마시면서) 후루룩 소리를 내다

[Book 1] He was *slurping* ice cream from a cone.
그는 아이스크림콘을 후루룩 소리 내며 먹었다.

snap fingers

idiom 손가락으로 딱 소리를 내다

[Book 4] "It's got a good beat,"
said Grandma Thora, *snapping* her *fingers*.
"정말 좋은 박자를 가졌는데." 도라 할머니가 손가락으로 딱 소리를 내며 말했다.

sneeze*

[sni:z] v. 재채기하다; n. 재채기

[Book 1] He had been to the office only once—
for putting *sneezing* powder on Mr. Ratburn's desk.
하지만 그가 교장실에 불려간 적은 딱 한 번, 랫번 선생님 책상 위에 재채기
가루를 올려놓았을 때밖에 없었다.

snoop

[snu:p] v. 염탐하다, 기웃거리다

[Book 5] "I've been *snooping*—ah, looking for crimes."
"난 기웃거리고—아, 범죄를 찾고 있었어."

snowbank

[snóubæŋk] n. (산허리·계곡의) 눈 더미

[Book 4] "She sounds like she's stuck in a
snowbank."
"그녀가 눈 더미에 빠진 것 같아."

spatula

[spǽʧulə] n. 주걱

[Book 5] Mrs. MacGrady waved a *spatula* at him.
맥그래디 부인은 그에게 주걱을 흔들었다.

---

spill**

[spil] v. 엎지르다, 흘리다

[Book 5] "When I was dropping off
the quarters in the cafeteria, I accidentally *spilled* some flour."
"식당에 동전을 갖다 놓을 때, 내가 실수로 밀가루를 쏟았어."

---

split**

[split] v. 쪼개다, 찢다

[Book 2] The kids *split* into several groups
and spread out through town.
아이들은 몇 개의 무리로 나뉘져 마을 전체로 흩어졌다.

---

spot**

[spat] n. 반점, 얼룩

[Book 5] "That dog has a lot of *spots*."
"그 개 반점이 많다."

---

spread***

[spred] v. 퍼지다, 펴다, 펼치다

[Book 2] His homework and math books
were *spread* out around him.
그의 숙제와 수학책이 그의 주위에 널려 있었다.

---

squirt

[skwə:rt] v. (액체·분말 등을) 찍 짜다

[Book 5] She began *squirting* whipped cream onto each tart.
그녀는 각각의 타르트 위에 휘핑크림을 짜기 시작했다.

stack*

[stæk] v. 쌓다, 쌓아올리다

[Book 2] The Brain was *stacking* paint cans.
브레인은 페인트 통을 쌓고 있었다.

stalk*

[stɔ:k] v. 활보하다, 으스대며 걷다

[Book 4] Binky *stalked* up to him.
빙키가 그에게 성큼성큼 걸어왔다.

stand(1)***

[stænd] n. 매점, 가판대; 관람석

[Book 2] "Nobody has dared to steal anything from the haunted hamburger *stand* again."
"그 누구도 다시는 저주받은 햄버거 가판대에서 감히 물건을 훔치지 못했습니다."

stand(2)***

[stænd] n. 관람석; 매점, 가판대

[Book 3] Mrs. Baxter stood up in the *stands* and clapped.
백스터 부인은 관중석에서 일어나 박수쳤다.

steam**

[sti:m] n. 김, 안개; 증기, 수증기

[Book 4] The *steam* from the pot swirled up toward the frosted window.

냄비에서 나오는 김이 서리가 낀 창문을 향해 소용돌이치며 올라갔다.

stick out

idiom 불쑥 나오다, 돌출하다

[Book 1] One corner of Mr. Haney's envelope was *sticking out* of the flap.

하니 교장 선생님이 주신 봉투의 한 모퉁이가 가방 덮개 밖으로 삐져나와 있었다.

stink

[stiŋk] v. (고약한) 냄새가 나다, 악취가 풍기다

[Book 4] Oh, everyone thinks / that my brother *stinks* / like a piece of yellow cheese!

오, 모두들 생각하죠 / 내 오빠가 냄새난다고 / 노란색 치즈 조각 같이!

storm grate

[stɔ́:rm grèit] n. 빗물 배수구

[Book 2] Arthur jumped high over a *storm grate*.

아서는 빗물 배수구 위로 높이 뛰었다.

stove*

[stouv] n. (요리용 가스·전기) 레인지

[Book 1] Suddenly the water on the *stove* began bubbling over.

갑자기 가스레인지 위의 물이 끓어 넘치기 시작했다.

straw hat

[strɔ́ː hæt] n. 밀짚 모자

[Book 1] The kittens were wearing *straw hats* and dancing in a line while they sang.
고양이들은 노래 부르면서 밀짚모자를 쓰고 줄을 맞춰 춤을 추고 있었다.

stroke*

[strouk] v. 쓰다듬다, 어루만지다

[Book 3] Her father *stroked* his chin.
그녀의 아빠는 턱 끝을 쓰다듬었다.

stuck

[stʌk] a. 꽉 끼인, 갇힌, 움직일 수 없는

[Book 4] "She sounds like she's *stuck* in a snowbank."
"그녀가 눈 더미에 빠진 것 같아."

stuffed envelope

[stʌ́ft énvəlòup] n. 채워진 봉투

[Book 1] He had never noticed before how much the pillow looked like a *stuffed envelope*.
그 이전까지 아서는 베개가 속이 꽉 찬 봉투와 얼마나 닮았는지 알아차리지 못했었다.

surround**

[səráund] v. 둘러싸다, 에워싸다

[Book 2] She clasped her hand across her mouth as her parents *surrounded* her.
그녀는 부모님이 그녀의 주위를 에워싸자 손으로 입을 막았다.

swallow**

[swálou] v. 삼키다, 목구멍으로 넘기다;
(초조해서) 마른침을 삼키다

[Book 1] Dinner was hard to *swallow*.
저녁식사는 삼키기가 힘들었다.

sweep**

[swiːp] v. (빗·자루손 등으로) 쓸다

[Book 2] Buster was *sweeping* the floor.
버스터는 바닥을 쓸고 있었다.

swing**

[swiŋ] v. 휘두르다

[Book 3] Sue Ellen *swung* hard—and lined
the ball into left field.
수 엘렌은 힘껏 휘둘렀다. 그리고 공을 왼쪽으로 선을 그리며 날려 보냈다.

Tt

teeter

[tíːtər] v. 불안정하게 서다, 위아래로 움직이다

[Book 1] The envelope *teetered* for a moment—and then fell into the wastebasket.
봉투가 불안정하게 잠깐 움직이더니, 이내 휴지통 안으로 떨어졌다.

thief**

[θiːf] n. 도둑, 절도범

[Book 5] "Everyone thinks I'm a *thief*. But I'm innocent."
"모두가 나를 도둑이라고 생각해. 하지만 나는 결백해."

tie**

[tai] v. 묶다, 매다

[Book 1] "I could get there blindfolded with one hand *tied* behind my back."
"나는 눈을 가리고 한 팔이 등 뒤로 묶인 채로도 거기에 갈 수 있어."

tilt*

[tilt] v. 기울이다, (뒤로) 젖히다

[Book 4] He *tilted* the pot and tried to spoon some into her bowl.
그는 냄비를 기울여서 그녀의 그릇에 조금 담으려고 했다.

tiptoe

[típtòu] v. 발끝으로 살금살금 걷다

[Book 1] Arthur *tiptoed* past the door.

아서는 발끝으로 조심조심 걸으며 문을 지나갔다.

toot

[tu:t] v. (나팔 등) 관악기를 불다

[Book 4] He *tooted* twice on his tuba and headed for home.

그는 그의 튜바를 두 번 빵 하고 불고 집으로 향했다.

toss*

[tɔ:s] v. 던지다, 내던지다

[Book 3] Arthur stood in front of his bedroom mirror, *tossing* a ball up and down in his mitt.

아서는 그의 침실 거울 앞에 서서, 공을 위아래로 던지며 글러브로 받았다.

trip***

[trip] v. 걸려 넘어지다

[Book 3] Maybe the pitcher would *trip* on the grass or be blinded by the sun.

아마도 투수가 잔디에 걸려서 넘어지거나, 태양에 눈이 보이지 않게 될지도 모른다.

tumble*

[tʌmbl] v. 굴러 떨어지다

[Book 1] It *tumbled* end over end.

그것은 빙글빙글 회전하면서 굴렀다.

twirl

[twəːrl] v. 빙빙 돌리다, 빠르게 돌다

[Book 2] As the broom *twirled* like a propeller, he fell into the water.

빗자루가 프로펠러처럼 돌아가면서, 그는 물속으로 떨어졌다.

two-by-four

n. 2x4인치 크기의 목재

[Book 2] Arthur was lining up *two-by-fours* against the wall.

아서는 목재를 벽에 기대어 줄 세우고 있었다.

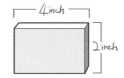

typewriter*

[táipràitər] n. 타자기

[Book 3] "Some people favor the *typewriter* approach."

"어떤 사람들은 타자기 방법을 선호한단다."

U u

umpire*

[ˈʌmpaɪər] n. (테니스·야구 경기 등의) 심판

[Book 3] "Out!" called the *umpire*.

"아웃!" 심판이 외쳤다.

Ww

wag*

[wæg] v. (꼬리 등을) 흔들다

[Book 1] Pal *wagged* his tail.

팔이 꼬리를 흔들었다.

wanted poster

[wántid póustər] n. 지명 수배 광고

[Book 5] "His pictures are probably on *Wanted posters* by now."

"아마 지금쯤 오빠 사진이 현상수배범 포스터에 붙었겠지."

warm up

idiom (스포츠나 활동 전에) 준비 운동을 하다

[Book 3] Coach Frensky was standing behind the backstop, watching his team *warm up*.

프렌스키 코치님은 그의 팀이 준비 운동을 하는 것을 보면서, 그물망 뒤에서 있었다.

whipped cream

[wípt kriːm] n. 휘핑크림(생크림을 휘저어 거품을 낸 것)

[Book 1] "You have *whipped cream* behind your ear."

"여보, 당신 귀 뒤에 휘핑크림이 묻어 있어요."

whistle★★

[hwisl] v. 휘파람 불다

[Book 3] Coach Frensky *whistled*.

프렌스키 코치님이 휘파람을 불었다.

witch★

[witʃ] n. 마녀

[Book 2] Last month's Which *Witch* Is Which? had started him shivering by the third page.

지난달의 '어느 마녀가 진짜?'편은 세 장 만에 벌벌 그를 떨게 했다.

wrinkle★

[riŋkl] n. (얼굴의) 주름

[Book 1] "You get *wrinkles*."

"오빠 주름 생기거든."

Y y

yawn*

[jɔ:n] v. 하품하다

[Book 2] Sue Ellen *yawned*.

수 엘렌이 하품했다.

Book 2

Book 3

Book 4

Book 5

Arthur Chapter Book 1~5 Picture Dictionary

1판 1쇄   2013년 11월 4일
1판 8쇄   2020년   8월 7일

엮은이   롱테일북스 편집부
기획   이수영
책임편집   차소향 김보경
콘텐츠제작및감수   롱테일북스 편집부
마케팅   김보미 정경훈

펴낸이   이수영
펴낸곳   (주)롱테일북스
출판등록   제2015-000191호
주소   04043 서울특별시 마포구 양화로 12길 16-9(서교동) 북앤빌딩 3층
전자메일   helper@longtailbooks.co.kr
(학원 · 학교에서 본도서를 교재로 사용하길 원하시는 경우 전자메일로 문의주시면
자세한 안내를 받으실 수 있습니다.)

ISBN   978-89-5605-697-5 14740

롱테일북스는 (주)북하우스 퍼블리셔스의 계열사입니다.

이 도서의 국립중앙도서관 출판시도서목록(CIP)은 서지정보유통지원시스템 홈페이지(http://seoji.nl.go.kr)와
국가자료공동목록시스템(http://www.nl.go.kr/kolisnet)에서 이용하실 수 있습니다.
(CIP 제어번호 : CIP 2013020987)